© der deutschsprachigen Ausgabe:
Fleurus Verlag GmbH, Köln 2002
Alle Rechte vorbehalten
© Editions Fleurus, Paris 2000
Titel der französischen Ausgabe:
La nouvelle imagerie des enfants
ISBN 978-3-89717-020-9

20 19 18 17 16 15 14

Printed in France by Qualibris (JL 12-06)

Dein buntes Wörterbuch Deutsch Englisch

 Für Elisa zum
* 4. Geburtstag *
von Juita & Frank
für einen guten
Start im großen
„Kanada"

Herausgeberin: Emilie Beaumont

Illustrationen: C. Hus-David, Y. Barbetti, Héliadore, C. Galinet, B. Le Sourd, M. Loppé, F. Merlier, G. Monjaret, A. Riquier, C. Siegel, Inklink, M. I. A. – B. Ferrerro

Bilddoppelseiten: M. A. Didierjean, B. Le Sourd

FLEURUS VERLAG

Was streichst du dir zum Frühstück aufs Brot?

Womit süßt du den Tee?

butter

die Butter

sugar

der Zucker

a jar of jam

das Glas Marmelade

die Schokolade
chocolate

ground coffee

das Kaffeepulver

Was schmeckt lecker, schadet aber den Zähnen?

Was isst man mit einem kleinen Löffel?

cream cheese dessert

der Jogurt
a yogurt

der Quark

an egg

das Ei

der Eierbecher

an egg cup

die Lutscher

lollipops

sweets

die Bonbons

milk

die Milch

Was kann man beim Metzger kaufen?

Was kauft man in der Bäckerei?

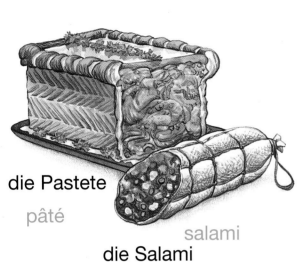

die Pastete

pâté

salami

die Salami

bread

das Brot

ham

der Schinken

pasta

die Nudeln

Was wird aus Kartoffeln gemacht?

Welche Muscheln findest du am Meer?

mashed potatoes

der Kartoffelbrei

fish

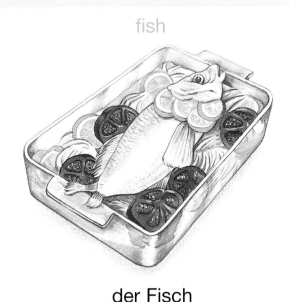

der Fisch

chips

a hamburger

der Hamburger

die Pommes frites

die Auster

an oyster

a mussel

die Miesmuschel

die Jakobsmuschel

a scallop

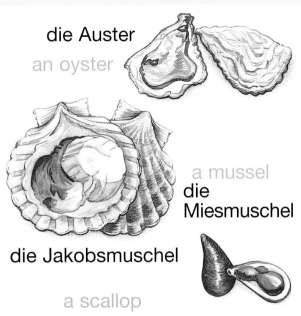

9

Was gibt es an Festtagen zu essen?

Was isst man mit Zucker und Marmelade?

der Rinderbraten

roast beef

chicken

das Hähnchen

cheese

der Käse

a sandwich

das Baguette

bread and butter

das Butterbrot

die Pfannkuchen

pancakes

a waffle

die Waffel

Was ist kalt und schmeckt köstlich und süß?

Welche Backwaren enthalten Früchte?

ice cream

das Eis

biscuits

die Kekse

cereals

das Müsli

a tart

die Obsttorte

Aus welchen Früchten kann man Saft pressen?

Was wächst an einem Rebstock?

a cake

der Kuchen

a lemon

die Zitrone

an orange

die Orange

grapes

die Weintrauben

Aus welcher Frucht stellt
man Most her?

Welche Früchte wachsen
auf dem Pfirsichbaum?

a pear

die Birne

a peach

der Pfirsich

an apple

der Apfel

plums

die Pflaumen

Welche Frucht wächst bei
uns in den Gärten?

Welche Frucht wächst
nicht auf einem Baum?

an apricot

die Aprikose

a melon

die Melone

a tangerine

die Mandarine

a grapefruit

die Grapefruit

Welche Früchte kommen aus sehr heißen, fernen Ländern?

Welche wilden Früchte kannst du am Wegrand pflücken?

a pineapple

die Ananas

blackberries

die Brombeeren

a banana

die Banane

raspberries

die Himbeeren

Welche Frucht hat
einen Kern?

Was knabbert
das Eichhörnchen
am liebsten?

cherries

die Kirschen

red currants

die Johannisbeeren

a strawberry

die Erdbeere

hazelnuts

die Haselnüsse

Welche Frucht versteckt
sich hinter einer harten
Schale?

Welches Gemüse isst man
nur zu einer bestimmten
Zeit im Jahr?

a walnut

die Walnuss

an asparagus

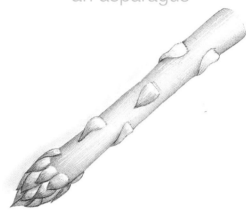

der Spargel

olives

die Oliven

a leek

der Lauch

17

Welche Gemüsesorte
ist violett?

Welches Gemüse schneidet
man in Scheiben, um es
zu essen?

a courgette

die Zucchini

a pepper

die Paprika

an aubergine

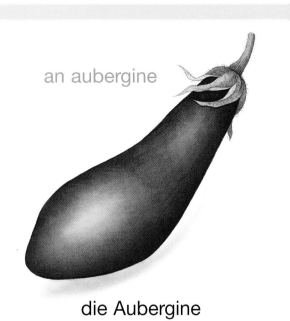

die Aubergine

a cucumber

die Gurke

Woraus werden
Pommes frites gemacht?

Welches Gemüse hat
fleischige Blätter,
die du essen kannst?

a potato

a tomato

die Kartoffel

die Tomate

an artichoke

a carrot

die Karotte

die Artischocke

corn on the cob

der Maiskolben

garden peas

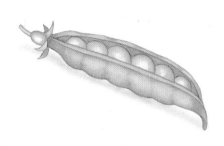

die Erbsen

a pumpkin

der Kürbis

a gherkin

die Gewürzgurke

Von welchem Gemüse isst man die großen, grünen Blätter?

Welches kleine, rot-weiße Gemüse schmeckt scharf?

a cauliflower

der Blumenkohl

a lettuce

der Kopfsalat

a cabbage

der Wirsing

a radish

das Radieschen

Im Garten

Welche Dinge erkennst du wieder?

Welches Gemüse bringt
den Koch beim Schneiden
zum Weinen?

Was wird gezüchtet,
wächst aber auch wild
im Wald?

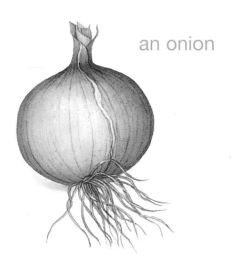

an onion

die Zwiebel

herbs

die Kräuter

garlic

der Knoblauch

mushrooms

die Pilze

Wo rutschst du gerne hinunter?

Womit kannst du durch die Luft schwingen?

a house

das Haus

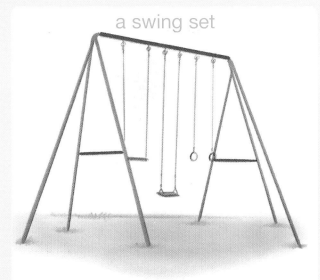

a swing set

die Schaukel

a slide

die Rutsche

a bench

die Bank

Womit kann man Gegenstände von weit oben herunterholen?

Wo räumt man in der Küche das Geschirr ein?

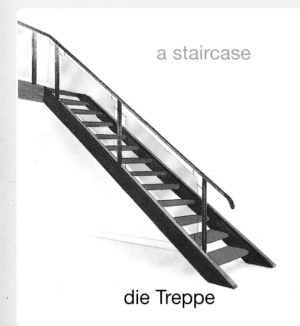

a staircase

die Treppe

a cupboard

der Wandschrank

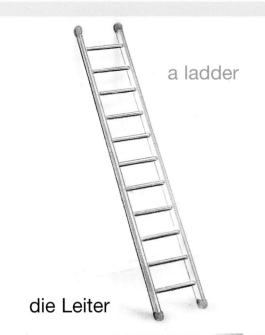

a ladder

die Leiter

a stepladder

die Stehleiter

Worin werden Lebensmittel kühl gelagert?

Worin wird die Wäsche gewaschen?

a vacuum cleaner

der Staubsauger

a washing machine

die Waschmaschine

a fridge

der Kühlschrank

a dishwasher

die Geschirrspülmaschine

Wo wird der Kuchen gebacken? Wo brät man Fleisch?

Womit kocht man Kaffee?

a cooker

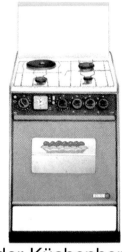

an oven

der Backofen

der Küchenherd

a food processor

der Mixer

a sink

die Spüle

an electric coffee maker

die Kaffeemaschine

Mit welchem Küchengerät
macht man
Pommes frites?

Worin brät man
ein Schnitzel?

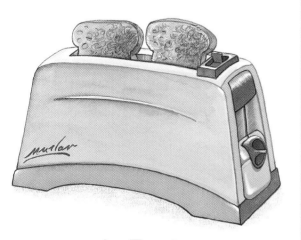

a toaster

der Toaster

saucepans

die Kochtöpfe

a deep-fat fryer

die Fritteuse

a frying pan

die Pfanne

Wodurch bekommen
Kuchen ihre schöne
Form?

Worin wärmt man
Essen auf?

a casserole

der Schmortopf

a pressure cooker

der Schnellkochtopf

cake tins

die Backformen

a microwave oven

der Mikrowellenherd

das Glas

a glass

a plate

der Teller

der Teelöffel

a teaspoon

a tablespoon

der Esslöffel

die Gabel

a fork

a knife

das Messer

die Soßenschüssel

a sauceboat

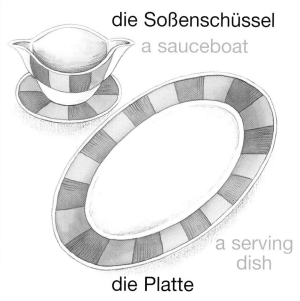

a serving
dish

die Platte

Womit wird die Suppe
in die Teller gefüllt?

Was steht auf dem
Frühstückstisch?

a salad bowl

die Salatschüssel

die Schale

a bowl

a cup

die Tasse

die Suppenkelle

a ladle

a soup tureen

die Suppenschüssel

a teapot

die Teekanne

Womit transportiert man seine Einkäufe nach Hause?

Wo füllt man Salz und Pfeffer hinein?

a basket

der Korb

bottles

die Flaschen

das Sieb

a colander

a skimmer

der Schaumlöffel

a pepper mill

a salt cellar

die Pfeffermühle

der Salzstreuer

In der Küche

Welche Dinge erkennst du wieder?

Womit öffnet man eine Flasche?

Womit macht man den Gasherd an?

der Trichter
a funnel

a ball of string
die Schnur

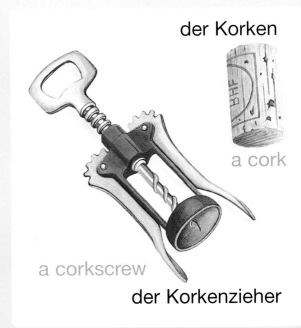

der Korken
a cork

a corkscrew
der Korkenzieher

a bottle opener

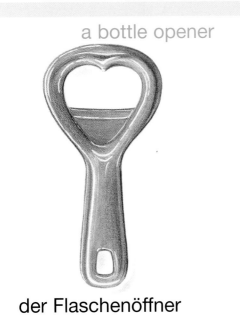

der Flaschenöffner

a gas lighter
der Gasanzünder

das Streichholz
a match

Was braucht man zum Bügeln?

Wo wirft man die Abfälle hinein?

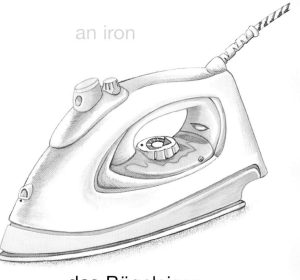

an iron

das Bügeleisen

a broom

a dustpan

der Besen

die Kehrschaufel

an ironing board

das Bügelbrett

a dustbin

der Abfalleimer

Womit bedeckt man den Tisch, damit er schön aussieht?

Wo bewahrt man Flaschen auf?

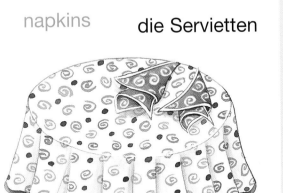

napkins
die Servietten

a tablecloth
die Tischdecke

der Eimer
a bucket

a basin
die Plastikschüssel

der Topflappen
an oven cloth

a tea towel
das Geschirrtuch

a bottle rack

der Flaschenständer

Was hängt an der Wand und zeigt an, wie spät es ist?

Worauf kann man sich setzen und sich anlehnen?

a clock

die Wanduhr

a chair

der Stuhl

a lamp

a light bulb

die Lampe

die Glühbirne

a stool

der Hocker

Wohin stellt man seine Bücher?

Worin sitzt man sehr gemütlich?

a table

der Tisch

an armchair

der Sessel

a bookcase

das Bücherregal

a sofa

das Sofa

Womit wird die Wohnung geheizt?

Wo räumst du deine Spielsachen ein?

a radiator

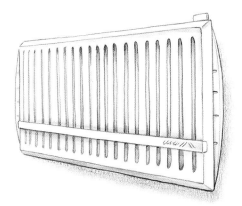

der Heizkörper

a chest of drawers

die Kommode

a rug

der Teppich

a toy chest

die Spielzeugkiste

41

Womit schläfst du gut
im Bett?

In welches Möbelstück
räumst du deine
Kleidung ein?

a bed

das
Kopfkissen
a pillow

das
Federbett

a duvet

das Bett

a wardrobe

der Kleiderschrank

a bedside table

der Nachttisch

a desk

der Schreibtisch

Worauf setzt man Kinder
zum Pipi machen?

Womit kämmst du dich?

der
Kleiderbügel
a clothes hanger

der
Waschlappen

a flannel

a clothes brush

die Kleiderbürste

das Handtuch

a bath towel

a potty

a hairbrush

die Haarbürste

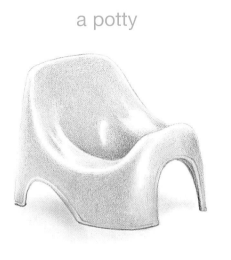

a comb

das Töpfchen

der Kamm

43

Womit putzt du dir jeden Tag die Zähne?

Womit wäschst du dir die Hände?

a nailbrush
die Nagelbürste

a pair of nail clippers

die Nagelzange

liquid soap

die Flüssigseife

a toothbrush

die Zahnbürste

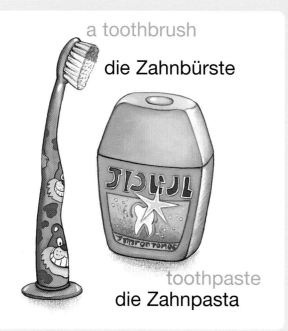

toothpaste
die Zahnpasta

hair slides

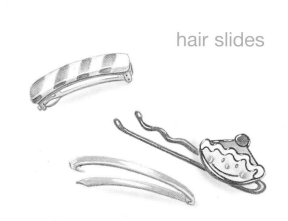

die Haarspangen

Was schäumt beim
Haarewaschen?

Womit misst man Fieber,
wenn man krank ist?

shampoo

das Shampoo

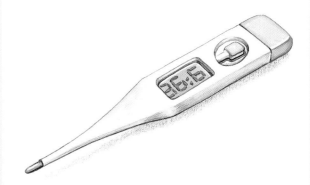

a medical thermometer

das Fieberthermometer

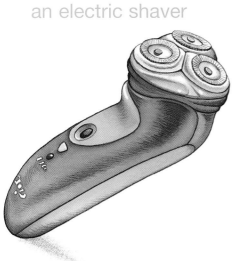

an electric shaver

der Rasierapparat

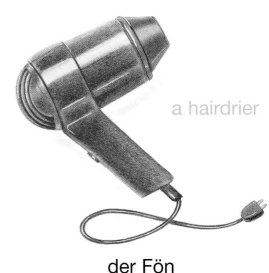

a hairdrier

der Fön

Wohin räumt man im Badezimmer seine Sachen?

Worin kannst du ein Schaumbad nehmen?

a bathroom cabinet

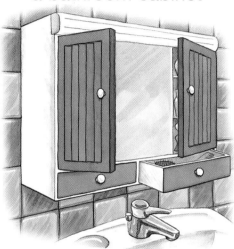

der Badezimmerschrank

a washbasin

das Waschbecken

a clothes drier

der Wäscheständer

a bathtub

die Badewanne

Was befindet sich alles im Badezimmer?

Worauf stellt man sich, um sich zu wiegen?

a toilet

die Toilette

a medicine cabinet

der Arzneischrank

a shower

die Dusche

bathroom scales

die Personenwaage

47

Im Kinderzimmer

Welche Dinge erkennst du wieder?

Was bringt man vor dem Fenster an?

Was muss man tragen, wenn man nicht gut sieht?

curtains

a net curtain
die Gardine

der Vorhang

an umbrella

der Regenschirm

a hanging light

die Deckenlampe

pairs of glasses

die Brillen

Worin kann man schöne Geschichten lesen?

Wohinein steckt man einen Brief, bevor man ihn abschickt?

a newspaper

die Zeitung

a torch

die Taschenlampe

a book

das Buch

an envelope

Karin Schneider
Kirschenweg 12
80992 München

der Briefumschlag

keys

die Schlüssel

a picture

das Bild

a vase

die Blumenvase

a telephone
das Telefon

a mobile phone

das Handy

Was weckt uns morgens
mit Musik?

Worin transportiert man
seine Kleider, wenn
man verreist?

a radio alarm

der Radiowecker

an aquarium

das Aquarium

a bird cage

der Vogelkäfig

a suitcase

der Koffer

Mit welchem Spielzeug
kannst du Türme und
Burgen bauen?

Womit kannst du prima
kuscheln?

a board game

das Brettspiel

a doll

die Puppe

bricks

die Bauklötze

a soft toy

das Stofftier

Was brauchst du, um Cowboy zu spielen?

Welches Spielzeug hat Pedale?

a rocking horse

das Schaukelpferd

a tricycle

das Dreirad

a scooter

der Roller

puppets

die Handpuppen

Womit wirft man Kegel um?

Womit ist man schneller als Spaziergänger?

die Kugel
a ball

skittles

die Kegel

rollerblades

die Inline-Skates

marbles

die Murmeln

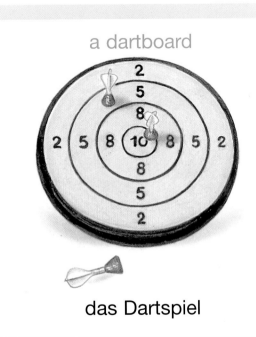

a dartboard

das Dartspiel

Womit isst die Puppe?

Bei welchem Spiel entsteht aus vielen Einzelteilen ein Bild?

a ball

der Ball

a jigsaw puzzle

das Puzzle

a doll's dinner service

das Puppengeschirr

a picture book

das Bilderbuch

Worauf befinden sich Herz,
Karo, Kreuz und Pik?

Was lässt man bei Wind
in den Himmel steigen?

playing cards

die Spielkarten

der
Eimer

a bucket

a spade

die Schaufel

a skipping rope

das Springseil

a kite

der Drachen

Womit trägst du
deine Bücher und Hefte
zur Schule?

Womit verzierst du Briefe
und Karten?

a satchel

der Schulranzen

a pencil

der Bleistift

a pencil case

das Mäppchen

coloured pencils

die Buntstifte

Womit kann man Abstände messen und Linien ziehen?

Womit kannst du eine Bleistiftzeichnung ausradieren?

a felt-tip pen

der Filzstift

a rubber

der Radiergummi

a ruler

das Lineal

a pencil sharpener

der Spitzer

Womit schreibt man
auf eine Tafel?

Was brauchst du, um
ein buntes Bild zu malen?

a slate

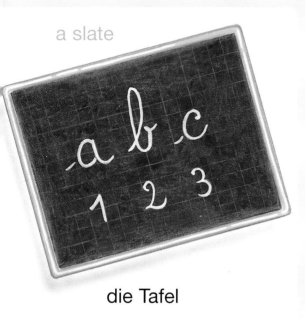

die Tafel

an exercise book

das Heft

der Schwamm

a sponge

die Kreide

a piece
of chalk

a paintbox

a paintbrush

der Pinsel

der Malkasten

Wie werden kleine Dinge größer, damit man sie besser sehen kann?

Worin fährt man kleine Kinder spazieren?

a magnifying glass

die Lupe

a playpen

der Laufstall

a fountain pen

der Füller

a child's pushchair

der Buggy

Wie nimmt man Babys mit auf einen Spaziergang?

Worin kann ein Baby bequem sitzen?

a pram

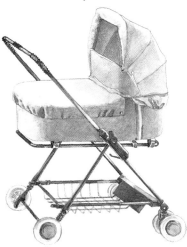

der Kinderwagen

a cot

das Kinderbett

a carrycot

die Babytragetasche

a baby chair

die Babywippe

Womit gibt man Babys Milch zu trinken?

Was wechselt man oft, damit die Babys trocken bleiben?

a mobile

das Mobile

a nappy

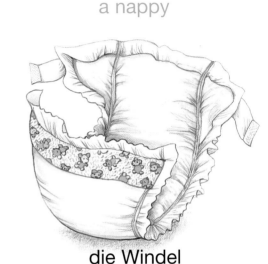

die Windel

a feeding bottle

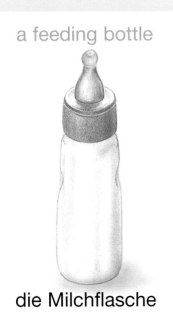

die Milchflasche

a bodysuit

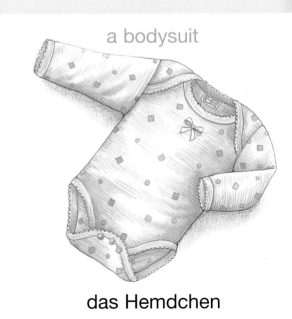

das Hemdchen

Was bindet man Babys zum Essen um?

Was ziehen Mädchen zum Schlafen an?

a bib

das Lätzchen

bootees

die Babyschuhe

baby pyjamas

der Strampelanzug

a nightdress

das Nachthemd

Was tragen Jungen zum Schlafen?

Was ziehen Mädchen im Sommer an?

a bathrobe

der Bademantel

a dress

das Kleid

pyjamas

der Schlafanzug

a pair of trousers

die Hose

Welche Hose kann nicht
rutschen?

Welche Kleidung tragen
Sportler?

a skirt

der Rock

a coat

der Mantel

dungarees

die Latzhose

a tracksuit

der Jogginganzug

Was ziehst du dir über,
wenn es kühl ist?

Womit hältst du
dich warm, wenn du
im Schnee spielst?

a jumper

der Pullover

an anorak

der Anorak

a cardigan

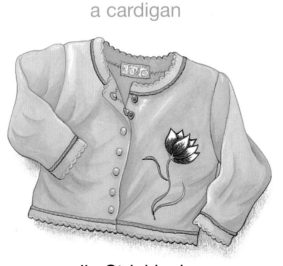

die Strickjacke

a windbreaker

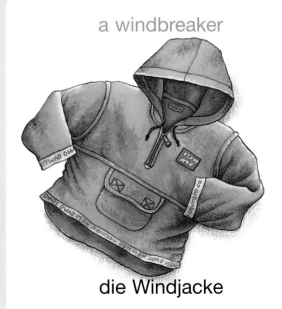

die Windjacke

Was tragen Mädchen unter der Hose oder dem Rock?

Was ziehen Jungen im Sommer an?

panties

der Slip

shorts

die Shorts

underpants

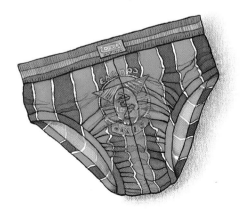

die Unterhose

a swimsuit

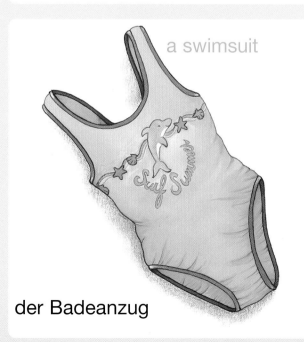

der Badeanzug

Was tragen Jungen und Mädchen, wenn es warm ist?

Was zieht man an, bevor man in die Schuhe schlüpft?

a tee-shirt

das T-Shirt

a raincoat

der Regenmantel

a shirt

das Hemd

socks

die Socken

Was zieht man an,
um die Hände vor Kälte
zu schützen?

Was setzt man sich
auf den Kopf, wenn es
kalt ist?

a woolly hat

die Mütze

a scarf

der Schal

a balaclava

die Kapuzenmütze

die
Fingerhandschuhe

mittens

gloves

die Fäustlinge

a pair of tights

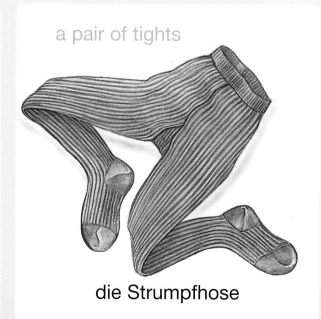

die Strumpfhose

71

Was trägst du an
den Füßen, wenn du
zu Hause bist?

Mit welchen Schuhen
kann man auch durch
Pfützen laufen?

trainers

die Turnschuhe

wellingtons

die Gummistiefel

slippers

die Hausschuhe

shoes

die Halbschuhe

Was zieht man an, damit
die Hose nicht rutscht?

Womit putzt man sich
die Nase?

a cap

die Schirmmütze

a tissue

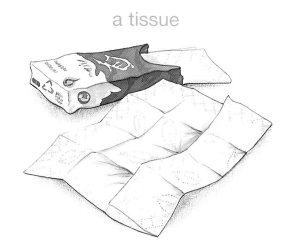

das Papiertaschentuch

braces

die Hosenträger

a belt

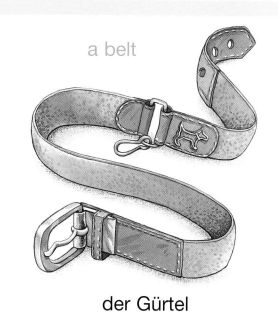

der Gürtel

Im Park

Welche Dinge erkennst du wieder?

a necklace
die Halskette

earrings
die Ohrringe

rings
die Ringe

a wedding ring
der Ehering

bracelets

die Armreifen

a watch

die Armbanduhr

76

Womit kann man
unterwegs Musik hören?

Mit welchem Gerät kann
man Kassetten abspielen?

a compact disc

die CD

a hi-fi stereo

die Stereoanlage

a walkman

der Walkman

a radio cassette player

der Kassettenrekorder

Womit kann man Gegenstände und Personen filmen?

Womit fotografiert man?

a video camera

die Videokamera

a camera

der Fotoapparat

a videocassette recorder

der Videorekorder

a computer

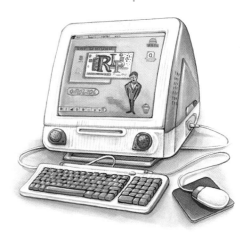

der Computer

Mit welchem Gerät kann man Sportsendungen sehen?

Was nimmt man mit ins Wasser, wenn man nicht gut schwimmen kann?

a game console

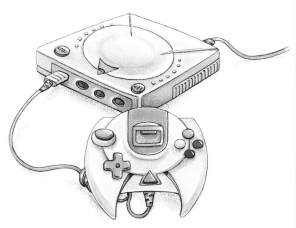

die Spielkonsole

a parasol

der Sonnenschirm

a television set

der Fernseher

a rubber ring

der Schwimmreifen

Womit kann man auf dem Schnee gleiten?

Wie kommt man auf einen Berg, ohne laufen zu müssen?

die Skier
skis

ski sticks
die Skistöcke

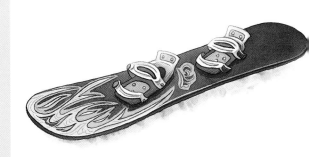

a snowboard

das Snowboard

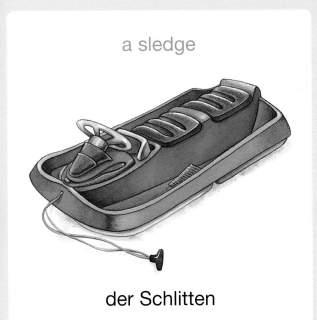

a sledge

der Schlitten

a cable car

die Seilbahn

Was braucht man zum
Tennisspielen?

Womit angelt man Fische?

die Tischtennisschläger

ping-pong bats

a tent

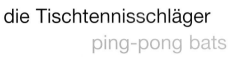

der Tischtennisball

a ping-pong ball

das Zelt

a tennis ball
der
Tennisball

a fishing rod

a tennis racket

der Tennisschläger

die Angel

Was wird vom Wind
auf dem Wasser
vorangetrieben?

Für welches Boot braucht
man Ruder?

a surfboard

das Surfbrett

a rubber dinghy

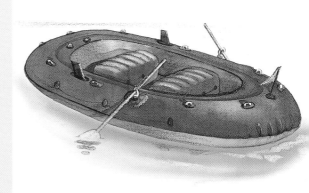

das Schlauchboot

a sailing boat

das Segelboot

a rowing boat

oars

die Ruder

das Ruderboot

Womit kann man fliegen wie ein Vogel?

Womit kann man Dinge sehen, die sehr weit weg sind?

a backpack

a parachute

der Fallschirm

der Rucksack

a hang glider

der Drachenflieger

binoculars

das Fernglas

Welche Musikinstrumente haben Saiten?

Welches Instrument hat weiße und schwarze Tasten?

a violin

a bow

der Bogen   die Geige

an electric organ

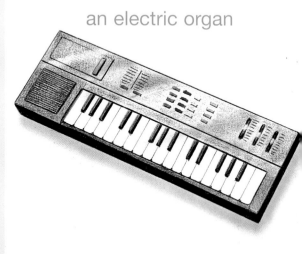

das Keyboard

a guitar

die Gitarre

a xylophone

das Xylophon

Welche Instrumente erzeugen Töne, wenn man hineinbläst?

Womit gräbt man den Garten um?

a tambourine

das Tamburin

a trumpet

die Trompete

a flute

die Flöte

a spade

der Spaten

Womit transportiert man Gartenerde?

Womit mäht man den Rasen?

a rake

der Rechen

a lawnmower

der Rasenmäher

a wheelbarrow

die Schubkarre

secateurs

die Gartenschere

Wo füllt man Wasser hinein, um die Blumen zu gießen?

Welches Werkzeug verwendet man, um Nägel herauszuziehen?

a watering can

die Gießkanne

a pair of pliers

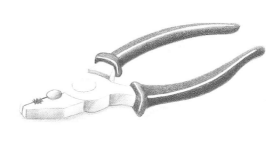

die Flachzange

a hammer

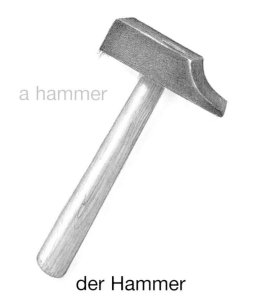

der Hammer

pincers

die Beißzange

Womit zieht man
Schrauben fest?

Mit welchem elektrischen
Gerät kann man Löcher
in die Wand bohren?

a screwdriver

der Schraubenzieher

der Nagel
a nail

die Schraube

a screw

a nut
die Mutter

a gimlet

der Handbohrer

a drill

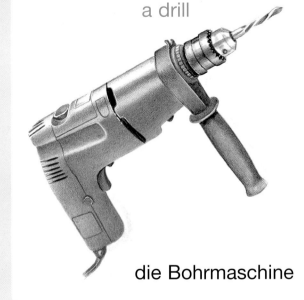

die Bohrmaschine

Mit welchem Werkzeug
zerkleinert man Holz?

Womit misst man
die Länge von
Gegenständen?

a saw

die Säge

a measuring tape

das Maßband

an axe

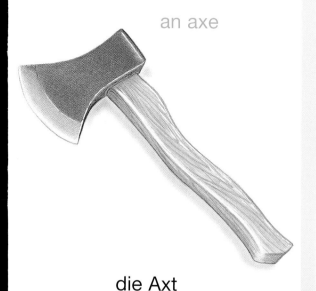

die Axt

a spirit level

die Wasserwaage

Womit näht man Knöpfe an?

Womit kann man Papier, Faden oder Stoff abschneiden?

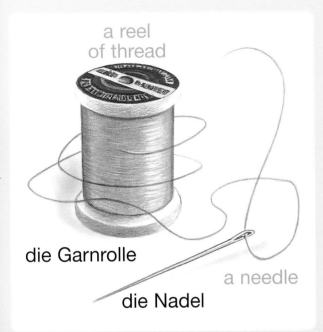

a reel of thread

die Garnrolle

a needle

die Nadel

die Sicherheitsnadel

a safety pin

a button

der Knopf

a pair of scissors

die Schere

a thimble

der Fingerhut

a zip

der Reißverschluss

90

Was braucht man, um einen Pullover zu stricken?

Wann musst du am Straßenrand stehenbleiben?

das Wollknäuel
a ball of wool

knitting needles

die Stricknadeln

a sewing machine

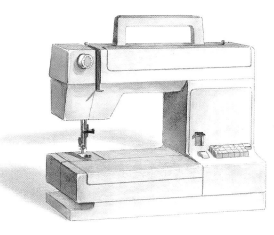

die Nähmaschine

tapestry work

das Stickbild

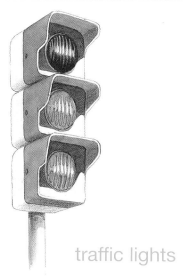

traffic lights

die Verkehrsampel

Welches Fahrzeug
befördert viele Menschen
gleichzeitig?

Welcher Lastwagen
transportiert Benzin?

a car

das Auto

a truck

der Lastwagen

a bus

der Bus

a tanker

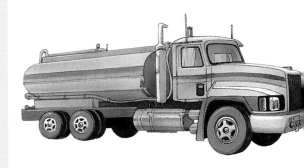

der Tankwagen

Mit welchem Fahrrad kann man durch den Wald fahren?

Womit schützt man beim Motorradfahren seinen Kopf?

a mountain bike

das Mountainbike

a motor scooter

der Motorroller

a motorbike

das Motorrad

a helmet

der Sturzhelm

Womit pumpt man
Fahrradreifen auf?

Womit werden auf der
Baustelle schwere Lasten
hochgehoben?

a bicycle pump

die Luftpumpe

a crane

der Kran

a tyre

der Autoreifen

a digger

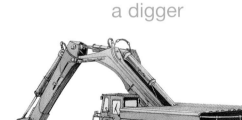

der Bagger

Mit welcher Maschine
erntet der Bauer Getreide?

Was kann man an das
Auto anhängen, wenn man
in den Urlaub fährt?

a bulldozer

der Bulldozer

a caravan

der Wohnwagen

a combine harvester

der Mähdrescher

a tractor

der Traktor

Was fährt auf Schienen
und ist sehr schnell?

Was fliegt hoch
am Himmel und befördert
viele Passagiere?

a train

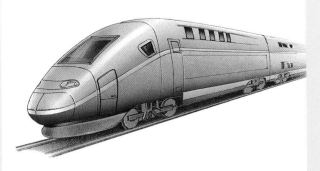

der Zug

a helicopter

der Hubschrauber

a boat

das Schiff

an airplane

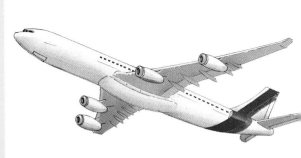

das Flugzeug

Mit welchem Gefährt
fliegen Menschen
zum Mond?

Was leuchtet nachts
am wolkenlosen Himmel?

a rocket

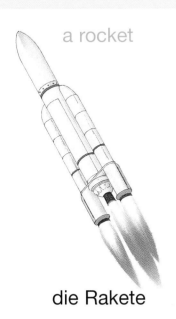

die Rakete

the sun

die Sonne

a space shuttle

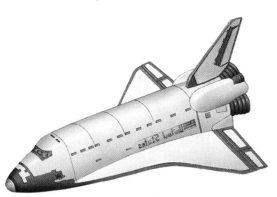

die Raumfähre

stars
die Sterne

the moon
der Mond

Rund um den Verkehr

Welche Dinge erkennst du wieder?

Was sieht man am Himmel, wenn nach dem Regen die Sonne wieder scheint?

Was wächst im Frühling an den Zweigen der Bäume?

a rainbow

der Regenbogen

a tree

der Baum

a fire

das Feuer

a branch

leaves

die Blätter

der Zweig

Was wächst auf einem Nadelbaum?

Was hat im Herbst eine stachelige Schale?

chestnuts

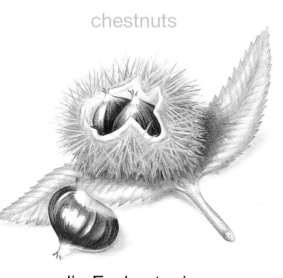

die Esskastanien

conkers

die Kastanien

a pinecone

der Zapfen

acorns

die Eicheln

An welcher Pflanze kann man sich stechen?

Welche Blume hat eine gelbe Blüte?

a rose

die Rose

a cornflower

die Kornblume

holly

die Stechpalme

a daffodil

die Narzisse

Welche rote Blume wächst im Sommer am Wegrand?

Mit welcher Blume spielt man „Er liebt mich … er liebt mich nicht"?

a poppy

die Mohnblume

a daisy

die Margerite

a buttercup

die Butterblume

a tulip

die Tulpe

Welche Blume blüht schon im Frühling?

Welche Blumen schmücken oft den Balkon?

a petunia

die Petunie

a geranium

die Geranie

a primrose

die Primel

a carnation

die Nelke

Welche Blume blüht
hier blau?

Welche Blume blüht auf
fast allen Wiesen?

an anemone

die Anemone

a nasturtium

die Kapuzinerkresse

a pansy

das Stiefmütterchen

daisies

das Gänseblümchen

Welche Blume ist nach
einem Monat benannt?

Welche gelbe Blume blüht
in manchen Gegenden
im Winter?

violets

das Veilchen

a branch
of mimosa

die Mimose

a lily of the valley

das Maiglöckchen

a hyacinth

die Hyazinthe

Welche Pflanze hat
Stacheln und braucht
kaum Wasser?

Welcher bunte Vogel
redet oft viel?

an iris

die Schwertlilie

a thistle

die Distel

a cactus

der Kaktus

a parrot

der Papagei

Welcher Vogel singt schon
im Morgengrauen?

Welcher Vogel baut sein
Nest oft unter dem Dach?

a crow

der Rabe

a sparrow

der Spatz

a blackbird

die Amsel

a swallow

die Schwalbe

Welcher Vogel ist angeblich ein Dieb?

Welcher Vogel hat einen hübschen roten Fleck am Hals?

a magpie

die Elster

a robin

das Rotkehlchen

a seagull

die Möwe

a pigeon

die Taube

Welcher Vogel schläft bei Tag und wird in der Nacht munter?

Welches Tier bewegt sich ohne Beine vorwärts?

an eagle

der Adler

a crocodile

das Krokodil

an owl

die Eule

a snake

die Schlange

Was unterscheidet
ein Kamel von einem
Dromedar?

Welches Tier schleckt
gerne Honig und
frisst Fische?

a camel

das Kamel

a bear

der Bär

a panda

der Panda

a dromedary

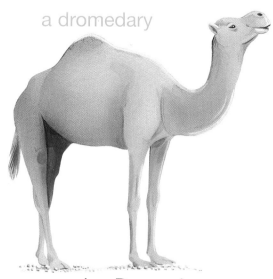

das Dromedar

Welches Tier hat ein gestreiftes Fell?

Welches Tier wird „König der Tiere" genannt?

a panther

der Panter

a lion

der Löwe

a tiger

der Tiger

a monkey

der Affe

Welches Tier hat einen
sehr langen Hals?

Welches Tier hat
große Stoßzähne und ist
sehr schwer?

a giraffe

an elephant

die Giraffe

der Elefant

a hippopotamus

a rhinoceros

das Nilpferd

das Nashorn

a kangaroo

das Känguru

a gazelle

die Gazelle

a zebra

das Zebra

an ostrich

der Strauß

114

Welcher Vogel
benutzt seine Flügel zum
Schwimmen?

Welches Meerestier
ist größer und schwerer
als ein Lastwagen?

a penguin

der Pinguin

a whale

der Wal

a dolphin

der Delfin

a seal

die Robbe

Welche Tiere haben
große Scheren und leben
am Meeresgrund?

Was fängt man mit einem
Netz im Meer?

a lobster

der Hummer

a shrimp

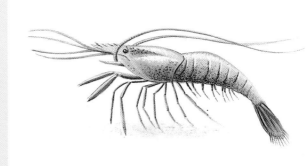

die Garnele

a crab

der Krebs

a swan

der Schwan

Welcher große Vogel
baut sein Nest auf
Schornsteinen?

Welches Tier baut
Staudämme in Flüssen
und Bächen?

a stork

der Storch

a beaver

der Biber

a frog

der Frosch

a guinea pig

das Meerschweinchen

Welches kleine Tier
frisst gerne Käse und
knabbert Brot an?

Welches Tier trägt sein
Haus auf dem Rücken
und mag Regen?

a mouse

die Maus

a snail

die Schnecke

a slug

die Nacktschnecke

a tortoise

die Schildkröte

118

Welches Tier wärmt sich gerne in der Sonne auf?

Welches kleine Tier ist rot und hat schwarze Punkte?

an earthworm

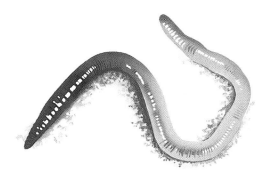

der Regenwurm

a grasshopper

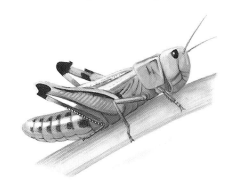

die Heuschrecke

a lizard

die Eidechse

a ladybird

der Marienkäfer

Welches Tier war
eine Raupe, bevor es
fliegen konnte?

Welches Insekt brummt
beim Fliegen und
kann stechen?

an ant

die Ameise

a fly

die Fliege

a butterfly

der Schmetterling

a mosquito

die Mücke

Welches Insekt lebt in einem Bienenstock und stellt Honig her?

Welches Tier webt ein Netz und fängt darin Insekten?

a wasp

a spider

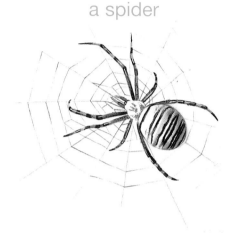

die Wespe

die Spinne

der Bienenstock

a hive

a bee

die Biene

a dragonfly

die Libelle

Welches Tier verwandelt
sich in einen schönen
Schmetterling?

Welches niedliche Tier
knabbert gerne
Haselnüsse?

a caterpillar

die Raupe

a rabbit

das Kaninchen

a hare

der Hase

a squirrel

das Eichhörnchen

Wie heißen die Eltern
des Hirschkalbes?

Von welchem Tier sagt
man, es sei sehr schlau?

a lynx

der Luchs

a doe
die Hirschkuh

a fawn
das Hirschkalb

a stag

der Hirsch

a fox

der Fuchs

Welches Waldtier durchwühlt den Boden nach Eicheln?

Welches Tier ähnelt dem Hund, lebt im Wald und heult?

a hedgehog

der Igel

a wolf

der Wolf

a wild boar

das Wildschwein

a dog

der Hund

Welche Tiere paddeln gerne im Wasser herum?

Auf welchem störrischen Tier kann man reiten?

a cat

die Katze

a donkey

der Esel

die Ente

a female duck

a duckling

das Entenküken

a drake

der Erpel

Welcher Vogel kann auch schwimmen?

Welches Tier kräht frühmorgens auf dem Bauernhof?

a goose

die Gans

a hen

die Henne

a chick

das Küken

a turkey

der Truthahn

a rooster

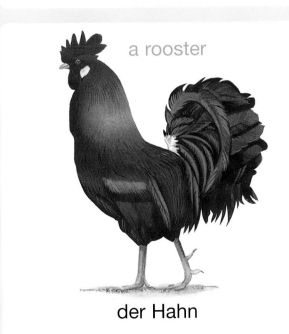

der Hahn

Welches rosarote Tier wälzt sich gerne im Schlamm?

Welche Tiere geben Milch?

a goat

die Ziege

a cow

die Kuh

das Kalb

a calf

a pig

das Schwein

a bull

der Stier

Welches Tier hat ein dickes Fell, aus dem Wolle gemacht wird?

die Schafe
sheep

der Schafbock
a ram

a lamb

das Lamm

das Mutterschaf

a ewe

die Stute
a mare

a colt

das Fohlen

die Pferde
horses

ALPHABETISCHES VERZEICHNIS